밀짚모자 일당

쵸파에몬
토니토니 쵸파 【 닌자 】

'새의 왕국'에서 '강한 약' 연구에 몰두하다,
재합류에 성공.

[선의 현상금 100베리]

루피타로
몽키 · D · 루피 【 낭인 】

해적왕을 꿈꾸는 청년. 2년의 수련을 거치고,
동료와 합류. 신세계로 향한다.

[선장 현상금 15억베리]

오로비
니코 로빈 【 게이샤 】

혁명군 리더이자 루피의 아버지 드래곤이
있는 바르티고를 거쳐, 합류.

[고고학자 현상금 1억 3000만베리]

조로주로
롤로노아 조로 【 낭인 】

어두우르가나 섬에서 자존심을 버리고 미호크
에게 검의 가르침을 간청. 이후 합류에 성공.

[전투원 현상금 3억 2000만베리]

프라노스케
프랑키 【 목수 】

'미래국 벌지모어'에서 자신의 몸을 더욱 개조.
'아머드 프랑키'가 되어 합류.

[조선공 현상금 9400만베리]

오나미
나미 【 여닌자 】

기후를 분석하는 나라, 작은 하늘섬
'웨더리아'에서 신세계의 기후를 배워 합류.

[항해사 현상금 6600만베리]

본키치
브룩 【 유령 】

수장족에게 잡혀 구경거리가 되었으나, 대스타
'소울킹 브룩'으로 출세하며 합류.

[음악가 현상금 8300만베리]

우소하치
우솝 【 두꺼비 기름 장수 】

보인 열도에서, '저격의 제왕'이 되기 위해
헤라크레스의 가르침을 받고 합류.

[저격수 현상금 2억베리]

Shanks
샹크스

'사황' 중 한 사람. '위대한 항로' 후반
'신세계'에서 루피를 기다린다.

[빨간 머리 해적단 선장]

상고로
상디 【 소바장수 】

'뉴히프만 왕국'에서 뉴커머 관법의 고수들과
대전, 한층 더 성장하여 합류.

[요리사 현상금 3억 3000만 베리]

와노쿠니 (현재)

코즈키 모모노스케
[와노쿠니 쿠리 다이묘 (후계자)]

아카자야 아홉 남자

여우불 킨에몬
[와노쿠니의 사무라이]

안개의 라이조
[와노쿠니의 닌자]

소낙비 칸주로
[와노쿠니의 사무라이]

키쿠노죠
[와노쿠니의 사무라이]

코즈키 히요리
[모모노스케의 여동생]

아슈라 동자 (슈텐마루)
[아타마야마 도적단 두령]

카와마츠
[와노쿠니의 사무라이]

이누아라시 공작
[모코모 공국 낮의 왕]

네코마무시 나리
[모코모 공국 밤의 왕]

시노부
[베테랑 여닌자]

꽃의 효고로
[야쿠자 대두목]

트라팔가 로
[하트 해적단 선장]

캐럿(토끼 밍크)
[전수민족 왕의 새]

쿠로즈미 오로치
[와노쿠니 쇼군]

후쿠로쿠쥬
[오로치 오니와반슈 대장]

오로치 오니와반슈
[와노쿠니 쇼군 직속 닌자 부대]

말뚝잠 쿄시로
[쿠로즈미 가문 전속 환전상]

백수 해적단

백수의 카이도

【 사황 】

수차례 고문과 사형을 당하고도 아무도 그를 죽일 수 없어, '최강의 생물로 불리는 해적

[백수 해적단 선장]

빅 맘

샬롯 링링【 사황 】

'사황' 중 한 사람. 통칭 빅 맘. 수명을 뽑아내는 '소울소울 열매 능력자.

[빅 맘 해적단 선장]

'대간판'

화재(火災)의 킹

역재(疫災)의 퀸

가뭄해 잭

'토비롯포'

X (디에스) 드레이크

페이지원

'신우치'

바질 호킨스

홀덤

바바누키

다이후고

솔리티아

스피드

도봉

쿠노쿠니에 와있었던 빅 맘이 카이도와 접촉하고 '해적동맹'을 맺게 되는데! 이 최악의 동맹은 루피 일행에게 어떤 영향을 끼칠 것인지…. 결전 ~~일~~을 맞이한 킨에몬 일행이 집합지로 향하였으나, 오로치의 책략으로 루피 일행은 나타나지 않는다. 그럼에도 그들은 세상을 떠난 ~~군~~·오뎅의 원통함을 풀어드리고 싶다. 그 마음 하나로 결전에 임하려는데?! ──그리고 때는 41년 전으로 거슬러 오른다………

와노쿠니 (과거)

코즈키 오뎅

그의 큰 그릇이 사람을 끌어들인다.
세상에 흥미를 갖고, 흰 수염과 함께
여행에 나선다.
[와노쿠니 쇼군 후계]

아마츠키 토키
[와노쿠니에 가는 것이 염원]

코즈키 스키야키
[와노쿠니 쇼군]

킨에몬
[도읍의 양아치]

덴지로
[도읍의 고아]

이조
[(전前) 하나야나기 류 종가의 아이]

키쿠노죠
[이조의 남동생]

칸주로
[키비의 요괴]

라이조
[(전前) 코즈키 가문 오니와반슈]

아슈라 동자
[쿠리 최강의 괴물]

이누아라시
[밍크족]

네코마무시
[밍크족]

카와마츠
[캇파]

골드 로저
[대해적]

에드워드 뉴게이트
[흰 수염 해적단 선장]

꽃의 효고로
[도읍의 협객]

시모츠키 야스이에
['하쿠마이' 다이묘]

쿠로즈미 오로치
[머슴]

Story · 줄거리 ·

2년의 수행을 거치고, 샤본디 제도에서 재집결에 성공한 밀짚모자 일당. 그들은 어인섬을 거쳐 마침내 최후의 바다, '신세계'에
이른다!! 루피 일행은 '사황 카이도 격파'를 위해 와노쿠니에 상륙하여 2주일 후 습격 작전에 대비해 동지를 모으고 있었다. 하지만
카이도 측에 움직임이 들통나 위기에 빠지고 만다. 어떻게든 재정비에 성공하여 동지들을 모아 결전 당일을 기다린다. 그런 즈음,

ONE PIECE
vol. 96
'삶아야 마땅히 오뎅이로다'

CONTENTS

제 965 화
'쿠로즈미 가의 음모'

'갱' 벳지의 오 마이 패밀리 Vol.15 '법석 떨지 마라, 우리가 발각되잖나'

'쇼군'은 줄초상을 치르는 다이묘들 탓에 끙끙 앓다가

이윽고 병상에 누웠지.

한 명… 또 한 명…. '내란'으로 위장해 해치워 나갔다………!!

……

!!!

그 시건방진 다이묘들을 차례차례 '독살'할 준비를…!!

태어나고 만 거다…!! '후사'가

바로 '코즈키 스키야키'가!!!

응애

계획은 순조로웠다!! 이제 곧 천하에 손이 닿을락 하는 그때…!!

네 할아버지는 '할복'도 모자라 가문은 단절!! 영토도 성도 지위도…!!!

따리잉 띠잉

밉살스러운 스키야키…!! '쿠로즈키 가문'은 천하를 쥐지 못한 끝에 '계획'까지 들통나

누가
잘못했지?!

네 빈곤한
삶은 누구
탓이지?!

쿠콜 쿠콜...

......
......!!

모든 것을
빼앗기고
'쿠로즈미'라는
이름은
사람들에게
업신여겨져

일족은
길거리에
나앉는 꼴이
되었다!!!

그래!!
그 녀석만
태어나지
않더라면…
너도 언젠가
'쇼군'이었다!!

!!

코즈키
스키야키
……!!

태어난
………!!

내가
누구인지는
아무래도 좋은
이야기야!!

나는 지금까지
국외에
있었다…
고생깨나
했지….

당신 혹시…
나의…
쿠로즈미
가문의

그렇다!!
아아, 분하도다.
원망스럽도다!!!

내가…
…….

※'시로'는 흰색을 뜻합니다.

싫어보여!!!

질문코너 SBS를 시작합니다!!

D (독자) : 처음 뵙겠습니다의 SBS다!
그런데 오다 쌤,
저기에 미녀가 있는 야한 책이 떨어져 있더라고요. (오다 쌤 달린다)
그럼, SBS를 시작합니다!!
　　　　　　　　　　　　　　　　　　P.N. 유웃치

O (오다) : 이봐, 이봐—!! 왜 멋대로 '오다 쌤 달린다'고 쓰는 거임?!
어이없어!! 하아... 하아... 헉... 헉... 없잖앗!!!

D : 배꼽! 질문입니다! 루피는 여러 사람에게 별명을
붙이는데요, 동료인 일당에게 지어주지 않는 건 왜죠?
　　　　　　　　　　　P.N. 타카타카

O : 과연! 음—, 루피라는 사람은 말이죠, 기본적으로
남의 이름을 외울 마음이 없는지라,
그 사람의 인상만으로 그냥저냥 맘대로
별명을 붙여버리는 겁니다만,
동료가 되면 아무래도 이름을 외우죠.
이름을 아니까 이름으로 부른다.
그저 그런 이야기입니다.

D : 질문입니다. 'D'는 '두드러기'의 'D'라고
들었습니다만, 정말인가요?
　　　　　　　　　펜네임 : 백작 디노

O : 네. 정말입니다!

D : 오다 선생님! 2월 22일은 '어묵의 날'인 거
알고 계신가요? 그래서 떠오른 건데 말이죠,
그 날을 코즈키 오뎅의 생일로 하면 어때요?!
　　　　　　　　　P.N. 고무이글 열매

O : 저기, 자네 말야....
그런 식으로 캐릭터 생일을
멋대로... **좋아—!!**

제 966 화
'로저와 흰 수염'

장소는 알아냈나?!

철컥

선쟁!! 괜찮아?!

쿨럭 쿨럭!! 으웩.

어느 항구 마을.

시끌시끌

지금 당장이다!!!

두웅!!

출항은 언제 할까?!

철억!!

그래, 알아냈어.

※'아카'는 빨간색을 뜻합니다.

간병에 나선 것은 ※아카타로. 이 녀석들은 사이가 좋은 건지 나쁜 건지…!!

'마지막 섬'을 향한 항해를 단념했다―.

견습 버기로가 갑자기 고열에 시달려

운이 좋은 건지 나쁜 건지

가게 된다면 우리는

언젠가 자기 배로 갈게!!

데리고 가줘~~~~~!!

나았어. 다 나았어.

끄아아 아악~~

끄아아악

눈물이 나올 만큼 웃었다.

우리도 그랬다.

800년 동안 누구도 가보지 못한 이 '마지막 섬'에

──이봐, 다들.

이런 이름을 짓지 않겠나?

터무니없는 보물을 남기다니 말이야…!!!

참 웃긴 이야기야!!

조이보이, 나는……!!

너와 같은 시대에 태어나고 싶었다.

'라프텔 (Laugh Tale)' 이라고.

D : 나미는 과일을 전반적으로 좋아하고 그중에서도 귤을 좋아하는데,
오렌지라든지 비슷한 감귤류는
귤과 마찬가지로 좋아하나요?
아니면 역시, 귤에만 담겨진
특별한 마음이 있는 것일까요….
가르쳐주세요!　　　　　P.N. 에메랄드 우사

O : 음—! 나미가 좋아하는 귤은 그 성장 과정과
관련이 있어서 말이죠. 단행본으로 따지면
7권 후반부터 10권 전반에 걸쳐서 실려 있는
'아론 편'을 통해 알 수 있습니다만, 나미는 귤밭에서 자라났고
귤은 돌아가신 양어머니와의 추억이 깃든 음식이거든요. 그런 까닭에
과일 중에서도 귤을 각별히 사랑하는 거랍니다. 엽서 보내줘서 고마워요—

D : 사나닷치!! 나미의 피규어를
모두 저한테 주세요.　　　　P.N. 노부오 선장

O : 어이 어이 어이!! ♪　자네, 어디랑 말하는겨!! ♪
그리고 그런 딴마음 그만둬!
모처럼 좋은 이야기 하는 중인데
이번에는, 이제 사나다 얘 엽서 절대 안 실을 거니까.

D : 오나미가 목욕탕에서 사용한 타올을
저한테 주세요!
　　　　　　　　　P.N. 사나닷치

O : 나오지 맛—!! ♪ 썩 돌아가, 사나다!! 순경 아저씨—!!

D : 이상한 질문이라서 죄송합니다. 아카자야 아홉 남자의 홍일점
오키쿠 씨는 목욕할 때 혼자서 들어가는 걸까요?!
　　　　　　　　　P.N. 울보 쿄시로

O : 전혀요. 다 같이 들어갑니다.
어릴 때부터 함께 하던 사이니까.

제 968 화
'오뎅의 귀환'

'갱' 벳지의 오 마이 패밀리 Vol.17 '사모님을 구하라! 고티!!'

D : 오다 쌤!! 질문이에요!! 시모츠키 야스이에,
　　시모츠키 류마, 시모츠키 코자부로, 시모츠키 우시마루
　　이렇게 시모츠키 이름이 붙는 자들이 등장했는데요,
　　까놓고 말해서 조로가 자라난 시모츠키 마을 및
　　사범인 코시로와의 관계성이 있는 게 맞아요?!
　　조로는 어린 시절 '스내치'를 마을의 할배한테
　　배웠다고 말한 적도 있고,
　　92권 SBS에서는 '이스트 블루'에 왔다는 사실이
　　밝혀졌고 말이죠!　　　　　　P.N. 유우 군

시모츠키 야스이에　시모츠키 류마

시모츠키 우시마루

O : 네. 이건 좀―더―잘 읽어보시면 상상이 될지도
　　모르겠습니다만.
　　설명해드리죠!
　　시모츠키 코자부로 (도공이자 검호)

예전에…
마을의 할배한테
배웠을 뿐 나도
말해본 적 없어.

조로주로
'스내치'는
말하면 아니
된다던데.

에엣?!

95권 31P

'엔마'를 만들어
코즈키의 후계
오뎅에게 보내다 → 55년 전
바다로
나서다! → 와노쿠니
사무라이들의
대모험!! → '이스트 블루'의
어느 토지에
상륙 →

산적으로부터
사람들을
구하다 → 마을 사람에게
검을 가르치던 중
사랑에 빠지다 → 살기로 하고
마을을 만든다.
'시모츠키 마을' → 아들 코시로
태어나다 → 손녀 쿠이나
태어나다

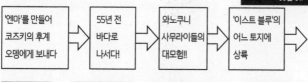
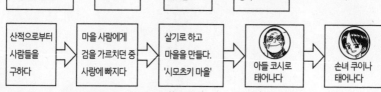

　그런 고로, 조로가 말한 '마을의 할배'란 바로,
　와노쿠니 출신의 시모츠키 코자부로 할아버지였던 것입니다.
　어라? 혹시… 조로의 혈통이…?!
　시모츠키 마을을 만든 사무라이, 시모츠키 코자부로의 이야기, 오늘은 여기까지!! 띠리잉!!

제 969 화
'바보 나리'

D : 오다 쌤!! 시노부의 모델은 제인 아닌가요??

　　　　　　　　　P.N. 세경 아르바이트

O : 오! 다들 그런가?! 맞아요. 저도 도중에
　　눈치챘거든요. 사실 맨 처음에는 와타나베 나오미 씨의
　　캐릭터성 굉장하구나 하는 생각에,
　　그 사람을 모델로 그린 겁니다만, 도중에 이 캐릭터
　　어디서 본 적 있는데 싶더라니, 제 스승 토쿠히로 마사야
　　선생님의 만화 '정글의 왕자 타짱(못 말리는 타잔)'에
　　등장하는 명물 캐릭터, 제인이었지 뭔가요 ＾＾.
　　게다가 젊은 시절 미인이었다 같은 설정이니까,
　　그냥 판박이네! 라고 생각하며 그리고 있습니다.

©穂弘正也／集英社

D : 카와마츠는 캇파가 아니라 어인이란 거 알겠습니다만,
　　어떤 물고기의 어인인가요?　　　P.N. 고무이글 열매

O : 자주복어입니다. 하지만 본인은 캇파라고 우기고 있으므로,
　　캇파인 걸로 부탁드립니다!

D : 오다 쌤! 브룩이 갖고 있는
　　소울 솔리드의 의인화를 보고 싶습니다.
　　미호크의 칼과 마찬가지로 여성이면 좋겠어요.
　　여성이라면 브룩도 기뻐할 거 같고요.

　　　　　　　　　P.N. 오다 매니아 형

O : 여성이란 말이지, 라저!

제 970 화
'오뎅 VS 카이도'

(토치기 현 · 부장(部長) 스케 씨)

D : 오다 쌤!!! ♡♡♡
그는 누구인가요?
이름을 알려주세요!!
P.N.
420 랜드

O : 네. 로저 해적단에 있던 사람 말이군요.
로저 해적단의 멤버에 대한 질문도 많았으므로,
주요 선원들만 러프 스케치이지만 이 페이지와 154p 이렇게 2페이지로
연이어 소개하겠습니다!! 기억하지 않아도 괜찮아요!!

골 D. 로저

실버즈 레일리

블루머린

스펜서

뮤그렌 대령

반크로

피터무

어인 · 선벨

선의 크로커스

스코퍼 가반

문 아이작 Jr.

샹크스

버기

116

제 971 화
'팽형'

약한 소리 뇌까렸다간
돌돌 말아버릴 줄 알라,
라이조!! 그저 올라타
있을 뿐이라니!!

열기만으로도
타죽을 것
같소…!!

움직이지 마,
네코!!
아래에 진동이
전해진다고!!

하아.

하아…!!

바빠
죽겠는데—
'바보 나리' 더는
못 지켜보겠다!

화끈하게
죽을 줄
알았어.

좀 더
비명을
지르거나

순식간에
끝난다고
들었는데.

4분 경과—.

째깍

째깍..

반꼬!!

웅성
웅성

의외로
재미없어….

………

……!!

째깍

째깍

생판 모르는 '정의의 사도'에게 쫓겨 다니고!!

하지만 남은 가족까지

집안은 패가망신, 거기까지는 좋아!!

옛날 내 할아버지가 죄를 저질러 할복하게 됐지!!

쿠로즈미다

얻어맞거나 혹은 강에 내던져지고!! 살해당했다!!

나는 바보지만 무서워서 잠들지 못했어!!!

'쿠로즈미' 이름표가 붙으면 꼬마도 죄인이 되나 보더군!!!

다이묘 살해자의 혈족이다 ……!!

죄를 저지른 장본인은 이미 죽었는데!!

복수 당해야 마땅해.

그러니까 와노쿠니 놈들은 모두

……!!

너희 스스로 초래한 업이다!!!

제972화
'삶아야 마땅히
오뎅이로다'

(나라 현 · 후지모토 타카히사 씨)

로윙

간류

밀레 파인

MAX 마크스

야몬

Mr. 모모라

에리오

유이

잭슨배너

CB 갤런

노즈돈

랜그럼

도린고

타로

돈키노

154

제 973 화
'코즈키 일족'

이렇게 높은 하늘에서 봐도

그만. 너무 높잖아, 오뎅!!

깍! 와!

둥실 둥실

깔끔 깔끔

높다, 높다아~~

다 보이지를 않아!!

잘 봐두거라!! 와노쿠니에는 없는 경치!!

히요리!!

모모노스케!!

이것이 '세상'이다.

하아~

※치쿠와 : 어묵의 일종입니다.

조에는 들렸어요? 오뎅 님.

어떠셨습니까.

인간을 ※치쿠와라고 생각하고 베는 거다, 모모노스케!!

모모! 너, 어떤 타입의 여자가 취향이냐?

그래! 여행을 총괄해서 말하자면

교육 방식!!

너무 일러!

D : 오다 선생님!! 쾨시로 두목 무척 멋져요!!
사랑해요!! 피규어 같은 거 갖고 싶어요!!
이 세상에 이런 캐릭터를 만들어주신 덕분에
인생에 이렇게 또 큰 즐거움이 태어났습니다.
두목의 키, 좋아하는 음식을 알고 싶어요!!   P.N.majo

O : 쾨시로! 뭘 좀 아시네^^. 저도 이거
혼신을 다한 디자인이에요!! 아카자야 아홉 남자에 대해서
이런저런 질문 들어온 터라 모두의 키와 좋아하는 음식, 자 여기요.
덤으로 시노부와 이조도.

코즈키 오뎅	킨에몬	칸주로	라이조
382cm	295cm	347cm	311cm
오뎅 전반	무	양배추롤	우엉 말이

덴지로	키쿠노조	카와마츠	이누아라시
306cm	287cm	271cm	511cm
소 힘줄	실곤약	달걀	뼈 · 닭 날개

네코마무시	아슈라 동자	시노부	이조
522cm	544cm	180cm	192cm
라자냐 · 카마보코(어묵)	찰떡 유부 주머니	한펜 (어묵의 일종)	간모도키 (두부 가공품)

네. 대놓고 다들, 오뎅에 들어가는 건더기에 좋아하는 음식이 있는 모양입니다.

D : 오다 선생님, 안녕하세요!! 역재(疫災)의 퀸이
93권에서 '살 빠지면 인기 만점일 거라♬
일부러 안 빼는 타입의♬ FUNK!!'라고 말하던데요,
실제로 진짜 인기 만점일까요?
살 빠진 모습의 퀸을 보고 싶어요.   P.N. 와작와작맨

O : 네. 살찐 편이 애교 있는 경우 더러 있죠!
SBS 여기까지! 다음 권에서 또 봐요!!

제 974 화
'가자, 오니가시마!!'

'갱' 벳지의 오 마이 패밀리 Vol.22 '사모님 구출 성공!!'

에비스 마을에 뿌리고 오겠습니다.

……… 확실하게

또 무리한 일을….

※우시미츠 씨, 돈이 들어왔어 …………!!

응.

※'축시 셋'이라는 의미입니다.

오뎅 님의 딸인 줄도 모르고… ……….

오로치는 완전히 당신에게 빠졌어요.

'선지피'는 매일 기모노에 넣어두십시오.

괴로우시겠죠………!!

……… …….

이제 곧…… 20년!!

—얼마 안 남았으니 괜찮아요….

만약의 경우에는 '죽음'으로 '코무라사키'와 오로치를 떼어놓을 터이니.

배역에 몰입하는 것만이 녀석의 쾌락!!

영광입니다.

죽을 곳을 찾고 있었어 ....

그 자금이 있었던 덕.......

너와 손을 잡을 수 있었던 건

필요한 금액의 두 배를 창고에서 꺼내왔지.

내가 오뎅 성에 돈을 빌리러 갈 때마다…

바보 나리 오뎅의 습격 정보도 도움이 되었을 터.

──그저 그 정보를 담담히 보내온다 ....!!

그 녀석에게는 마음이 없다. 내가 막을 때까지 완벽한 코즈키 가신으로서 살며

오뎅 무리와 함께 정말로 죽을 작정이었다는 거다.

놈의 제대로 미친 점은…… 그 후의 처형에서

소름이 끼칠 만큼 충실하게!!

쳐들어가기 충분한 병사들이 오늘 '불축제'의 저녁!!

그 집념이 통한 것인지 들고 일어선 전력이 무려

4천 하고도 200명!! 무기도 갖추고 배도 있겠다!!

우오오 오오

'토카게(도마뱀) 항구'에서 진격한다!! 가자, '오니가시마'로!!!

—이랬어야 했는데!!!

막지 마십시오!! 모모노스케 님!!!

………!!

그만 두어라!!!

이것은 자해나 다름없다!!!

킨에몬!! 칸주로!! 라이조!! 키쿠!! 카와마츠!! 이누아라시!! 아슈라!!! 멈추어라!!

항구에는 파괴 흔적, 날씨는 '폭풍'!!! 퇴로는 없다!!!

쿠왕쿵!!

모일 예정이었던 4200의 병사 모습은 단 하나의 그림자도 없이—

목숨이 있는 한!!! 포기하지 아니할 것이오!!!

………… ……!!

소수이기에!! 몰래 잠입하여 카이도의 목에 칼을 찔러넣을 수 있겠지요!!

포기하지 않을 것이외다!! 모모노스케 님!!!

흐윽….

소생도⋯⋯⋯ 아니, 다들 같은 생각을 했을 터!!

작전이 새어나갔다는 거죠?! 또!!

!!

이상해요⋯ 이런 건!!

⋯⋯⋯ ⋯⋯!!

!

!!

솔직히 이제 와서 알고 싶지 않다⋯!!

이 중에 아마도

적의 '내통자'가 있다⋯!!!

생각하고 싶지 않았으나 ⋯⋯!!!

띠 **링!!**

181

키쿠 말이 맞다!! 킨!!

우리도 앞으로 나아갈 수 없어요!!!

내통자를 찾아내!! 베어내고 당신이 앞으로 나아가지 않고선!!

킨 님!! 당신답지 않아요!!

확실히 해야 한다!!!

─허나 본인이 자수할 리 만무해!!

쿠로즈미 칸주로!!!

!!!

이유는 이걸로 되었나?

내 이름은

어째서 그런 짓을!!

'집합 장소'를 바꾼 야스이에는 대단했지만… 내게 전해진 시점에서

놈은 '개죽음' 당했다!!

그것을 멋지게 수습해 자신의 목숨과 맞바꾸어

첫 작전이 새어나간 것 역시 로의 부하가 입을 연 게 아니다.

…………

왜 우리를 의심하지 않았지……?!

잭이 나타났을 때 수상쩍게 여겼지, 이누아라시.

비브르 카드 없이 당도할 리 없는 '조'에

…………!!

CHAMP COMICS

원피스 96

2023년 11월 23일 초판 인쇄
2023년 11월 30일 초판 발행

저자 : EIICHIRO ODA
역자 : 길명
발 행 인 : 황민호
콘텐츠1사업본부장 : 이봉석
책임편집 : 조동빈 /정은경
발행처 : 대원씨아이(주)

ISBN 979-11-6894-542-5 07830
ISBN 979-11-362-8747-2 (세트)

서울특별시 용산구 한강대로 15길 9-12
전화 : 2071-2000 FAX : 797-1023
1992년 5월 11일 등록 제1992-000026호

ONE PIECE

©1997 by Eiichiro Oda

All rights reserved.

First published in Japan in 1997 by SHUEISHA Inc., Tokyo

Korean translation rights in Republic of Korea arranged by SHUEISHA Inc.
through THE SAKAI AGENCY.

● Korean edition, for distribution and sale in Republic of Korea only.
● 이 책의 유통판매 지역은 한국에 한합니다.
● 잘못 만들어진 책은 구입하신 곳에서 바꾸어 드립니다.
● 문의 : 영업 (02)2071-2074 / 편집 (02)2071-2027

www.dwci.co.kr